Voor Joes

11/10/03

voor Esmee,

Annemarie van Haeringen

Ander werk van Annemarie van Haeringen:
Blootpad & Co
De prinses met de lange haren
bekroond met het Gouden Penseel 2000
Malmok (met Sjoerd Kuyper)
bekroond met het Gouden Penseel 1999
Wat staat daar? (met Rindert Kromhout)
Een grote ezel (met Rindert Kromhout)
bekroond met de Kiekeboekprijs 2001
Kleine Ezel en jarige Jakkie (met Rindert Kromhout)
bekroond met de Oostenrijkse Kinder en Jeugdboekenprijs 2003

Bekroond met een Zilveren Griffel 2003

Tweede druk 2003

Typografie Tessa van der Waals
NUR 273/274 / ISBN 90 258 3584 8

Annemarie van Haeringen

Het begin van de zee

Leopold • Amsterdam

Kofi gaat naar een tentoonstelling van zeegezichten,
want hij houdt van schilderen én van de zee.
Op ieder schilderij is een stukje zee geschilderd.

Nergens zie je hem helemaal.

De zee is zo groot dat hij niet op een schilderij past.

Kofi besluit zelf de zee te schilderen.

Maar waar moet hij beginnen?

Hij ziet geen begin.

De zee komt aanrollen tot zijn voeten en stopt daar.

Ligt het begin aan de andere kant, de overkant waar hij nog nooit is geweest?

Kofi neemt de boot van zijn vader, duwt hem het water in
en klimt aan boord.
Hij vaart uit, op weg naar het begin van de zee.

Aan de overkant staan mensen op het strand.

Maar het begin van de zee ziet hij niet.

Ook hier houdt de zee op.

‘Weet iemand waar het begin van de zee is?’ vraagt Kofi.
‘Ik weet het,’ zegt de haringman en hij wijst naar
de overkant. ‘Mijn familie en ik varen wel met je mee,
we moeten daar toch heen.’

Kofi wil zeggen dat hij er juist vandaan komt en dat
het begin van de zee daar niet is.
Maar misschien heeft hij niet goed gekeken.
Hij duwt de boot weer af...
Aan de overkant wacht alleen het einde van de zee.

‘Het begin van de zee ligt natuurlijk in het midden,’
zegt de garnalenvisser.
Kofi stapt in de boot, met nog wat mensen die
nieuwsgierig zijn geworden.
‘Kijk daar!’ roept iemand. ‘Dat lijkt wel een navel.
Een navel die water spuit!’

Zou dat het begin zijn...?

Boem!

Kofi vaart tegen de buik van de navel aan.

De buik zwemt weg.

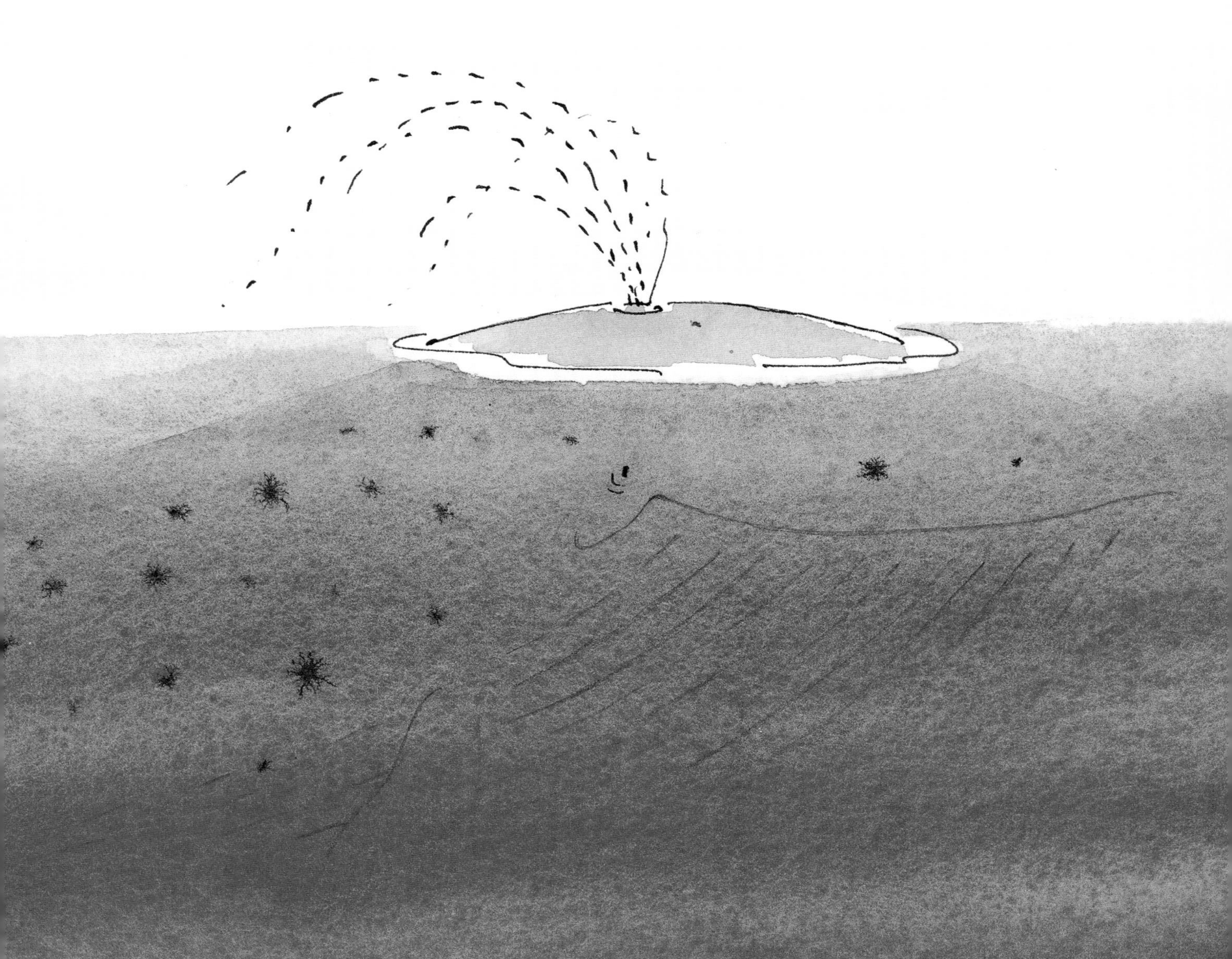

‘Je moet vannacht gaan,’ zegt de mosselman.
‘Dan is het hoog water, en al dat water moet toch ergens vandaan komen? Misschien kun je dán het begin van de zee vinden.’

Het is een heldere nacht.
De boot is vol, er willen steeds meer mensen mee.
Kofi ziet alleen maar een oneindige donkere zee,
met heel veel water… en geen begin.

De volgende dag is het laag water.
De ijscoman heeft gezegd dat er misschien ergens een stopje zit, net als in een bad.
Dan loopt de zee nu leeg! Als Kofi dat kan vinden, ziet hij misschien ook waar de zee weer volloopt.
Daar moet het begin zijn...
Nu wil iedereen mee!

Midden op zee ziet hij dolfijnen buitelen alsof ze een bad nemen. ‘Hoera! Hier zal het wel zijn!’

Iedereen plonst overboord om te gaan kijken.
Zelfs de baby's plonzen met de moeders mee.

Kofi duikt de dolfijnen achterna.

Zij zijn hier thuis, dus zij weten de weg.

Hij komt op de bodem van de zee; hij heeft bijna geen adem meer, en er is... niets.

Alleen maar zee, zee en nog eens zee.

Moedeloos zit Kofi in het zand.
Hij heeft alleen maar het midden en het einde van
de zee gevonden. Is er geen begin?
'Ja hoor, dat is er wel,' zegt de botenbouwer. 'Ik was er zelf
bij toen de zee begon.'
Hij kijkt naar de lucht. 'Zwaar weer op komst,' zegt hij.
'Echt weer om naar het begin van de zee te gaan kijken.'
Samen met Kofi klimt hij aan boord.

De zon verdwijnt achter een wolk.
De lucht wordt zwart.
Dan klettert de regen uit de hemel.
De botenbouwer steekt zijn paraplu op.
'Zie je het nu?' vraagt hij.
'Het begin van de zee valt uit de lucht.'

Kofi schildert het begin van de zee. Donkere wolken met regen erin.
Wil je het einde nog eens zien?
Begin dan weer bij het begin!